아름다운 동생들에게 마음을 담아 - 홍순미

도종환 시

1954년 충북 청주에서 태어나, 충북대 사범대 국어교육과를 졸업했습니다. 충남대에서 박사학위를 받았습니다.
신석정문학상, 정지용문학상, 윤동주상 문학부문 대상, 백석문학상 등을 수상했고, 2006년 세상을 밝게 만든 100인에 선정되기도 했습니다.
현재는 제20대 국회의원으로 활동하고 있습니다.
자연을 인간처럼 이해하고, 인간을 자연처럼 이해하는 시인으로 알려진 그의 시와 산문에서 자연과 인간에 대한 깊고 맑은 통찰의 눈을 바라볼 수 있습니다.
시집으로 《접시꽃 당신》, 《흔들리며 피는 꽃》, 《해인으로 가는 길》, 《세시에서 다섯시 사이》 등이 있으며, 산문집으로 《사람은 누구나 꽃이다》, 《그대 언제 이 숲에 오시렵니까》, 《너 없이 어찌 내게 향기 있으랴》 등이 있습니다. 동시집 《누가 더 놀랐을까》, 동화 《나무야, 안녕》, 그림책 《도종환 시인의 자장가》 등을 냈습니다.

홍순미 그림

강원도 인제에서 태어나 그림책 작가로 살고 있습니다. 어릴 적부터 구름과 달과 별 바라보는 것을 좋아하고, 산과 강을 따라 걷는 것,
도서관에서 그림책 읽는 것, 이불 덮고 누워 잠자기 전에 상상으로 이야기 만드는 것을 좋아합니다. 좋아하는 것들로 글을 짓고 그림을 그리고 있습니다.
세 자매 중 언니로 두 동생이 있습니다. 오래도록 사랑받는 그림책을 짓는 것이 꿈입니다. 첫 그림책으로 《한밤의 선물》이 있습니다. 블로그 www.soonillust.com

안선재(앤서니 수사, Brother Anthony of Taizé) 번역

영국에서 태어나 옥스퍼드대학교에서 학위를 받고, 1985년부터 서강대학교 영문과 교수로, 현재는 서강대학교 명예교수로 재직하고 있습니다.
1994년에 우리나라로 귀화했으며, 대한민국문학상 번역부문 대상, 대산문학상 번역상, 한국펜클럽 번역상을 수상했고, 2008년 옥관문화훈장을 받았습니다.
고은 시인의 《만인보*Ten Thousand Lives*》와 《화엄경*Little Pilgrim*》 등 30권 이상의 한국 시와 소설의 영문 번역서를 냈습니다.

병아리 싸움

The Battle of the Chicks

1판 1쇄 | 2016년 9월 19일
1판 6쇄 | 2018년 6월 2일

시 | 도종환
그림 | 홍순미
번역 | 안선재(Brother Anthony of Taizé)

펴낸이 | 박현진
펴낸곳 | (주)풀과바람
주소 | 경기도 파주시 회동길 329(서패동, 파주출판도시)
전화 | 031) 955-9655~6
팩스 | 031) 955-9657
출판등록 | 2000년 4월 24일 제20-328호
홈페이지 | www.grassandwind.com
이메일 | grassandwind@hanmail.net

편집 | 이영란
디자인 | 박기준
마케팅 | 이승민

값 11,000원
ISBN 978-89-8389-674-2 77810

※ 잘못 만들어진 책은 구입처에서 바꾸어 드립니다.

이 도서의 국립중앙도서관 출판예정도서목록(CIP)은 서지정보유통지원시스템 홈페이지(seoji.nl.go.kr)와
국가자료공동목록시스템(www.nl.go.kr/kolisnet)에서 이용하실 수 있습니다. (CIP제어번호 : CIP2016019350)

제품명 병아리 싸움 | **제조자명** (주)풀과바람 | **제조국명** 대한민국
전화번호 031)955-9655~6 | **주소** 경기도 파주시 회동길 329
제조년월 2018년 6월 2일 | **사용 연령** 3세 이상
KC마크는 이 제품이 공통안전기준에 적합하였음을 의미합니다.

⚠ **주의**
어린이가 책 모서리에 다치지 않게 주의하세요.

병아리 싸움

시 · 도종환 | 그림 · 홍순미

바우솔

마당을 가로질러 가다가

다리가 부딪쳤다고

눈을 부라리고 깃털을 곧추세우며

"어쭈 해보겠다는 거야!"

"그래, 한번 붙어보자 이거지?"

날개를 푸드덕거리고

어깨를 툭툭 치기도 하다가

그냥 보리수나무 밑으로 간다

붙었다고 꼭 싸우는 건 아니다

그냥 한번 기싸움 해보는 거다

하루가 멀다 하고 툭탁거리지만

그렇다고 꼭 싸우는 건 아니다

나뭇가지 위에서 쉴 때는 같이 쉬고

잠자리 잡으러 달려갈 때도 같이 간다

낮에는 옥수수 한 알 갖고 싸우고

풀씨도 먼저 먹으려 부리로 쪼았는데

잘 때는 날갯죽지 붙이고 같이 잔다

아픈데 서로 비비며 추녀 밑에서 같이 잔다

아침에는 지렁이 빼앗아 달아나고

물 한 모금도 먼저 먹으려다

엎어 버렸는데

밤에는 몸 찰싹 붙이고 같이 잔다

그래야 언니 동생인 거 말 안 해도 안다

The Battle of the Chicks

On the way across the yard
she bumped her leg, she said.

With bulging eyes, feathers erect,
"So what are you going to do about it?"
"You mean you want to start a fight?"

After flapping their wings
and tapping their shoulders
they simply move to beneath a linden tree.

Starting a fight does not necessarily mean really fighting.
It's just a matter of squaring off once.

They may come close to blows on a daily basis
but that does not mean really fighting.

When they rest on a branch, they rest together,
and when they fly up to their perch they go together.

By day they may fight over one grain of corn,
peck at each other to be first to eat a seed,

When they go to sleep they sleep wing to wing,
rubbing each other's sore spots, they sleep together
beneath the eaves.

In the morning they run off after stealing a worm,
jostle each other to get a sip of water first.

By night they sleep wing tight against wing.
That's how they know without asking
who is older and younger.